UNE DENT CONTRE ÉLOÏSE

L'auteure tient à remercier le Conseil des Arts du Canada de lui avoir accordé une bourse pour l'écriture de ce livre.

Nous remercions le Conseil des Arts du Canada ainsi que la Société de développement des entreprises culturelles du Québec (SODEC) pour l'aide accordée à notre programme de publication. Nous reconnaissons l'aide financière du gouvernement du Canada par l'entremise du Programme d'aide au développement de l'industrie de l'édition (PADIE) pour nos activités d'édition. **Canadä**

Le Loup de Gouttière
347, rue Saint-Paul
Québec (Québec)
G1K 3X1
Téléphone : (418) 694-2224
Télécopieur : (418) 694-2225
Courriel : loupgout@videotron.ca

Dépôt légal, 1er trimestre 2003
Éd. originale : 1er trimestre 2001
Bibliothèque nationale du Québec
Bibliothèque nationale du Canada
ISBN 2-89529-034-2
Imprimé au Québec

Hélène de Blois

Une **D**ENT
CONTRE
ÉLOÏSE

ROMAN

Illustrations Véronique Drouin

Les petits loups
Le Loup de Gouttière

À Éric

ÉLOÏSE

Éloïse a douze ans. Elle sait lire les étoiles et parler aux oiseaux. Elle connaît les vertus des pierres et les plantes qui guérissent. Elle ne craint ni les ombres ni la nuit. La forêt est son amie.

Mais depuis quelque temps, Éloïse ne court plus avec les loups. Elle ne joue plus avec les papillons dans la forêt. Non. Éloïse regarde la télévision. Éloïse mange des chips dans son lit et bâcle ses devoirs. Éloïse se ronge les ongles en mâchant de la gomme. Éloïse porte, hiver comme été, des bottines noires complètement défoncées. Elle ne range plus sa chambre. Elle refuse de se

coiffer et même de se brosser les dents. Pire, elle déclare à propos de tout et de n'importe quoi : « J'en ai rien à péter ! » Ce qui ne manque jamais de faire enrager sa mère.

MATHILDA

La mère d'Éloïse s'appelle Mathilda. Elle est douce, gentille : une vraie fée des étoiles.

Mais depuis quelque temps, Mathilda en a par-dessus les oreilles des caprices de sa fille.

– Il faut bien que jeunesse se passe ! soupire-t-elle.

Mais comme jeunesse ne fait que commencer, elle craint le pire. Si ça continue, Éloïse reviendra avec un jeune pouilleux pétaradant sur sa Harley Davidson. Ce serait le bouquet ! Quoique... Et si Éloïse devenait amoureuse ? L'amour, c'est magique ! Il fait fondre le cœur des jeunes filles les plus rebelles. Éloïse deviendrait un brin coquette: elle démêlerait ses cheveux et porterait de jolies robes. Au pire, elle se brosserait les dents de temps en temps.

LE CATALOGUE DES SOUPIRANTS

Sans plus tarder, Mathilda fait venir par courrier recommandé le *Catalogue des soupirants*. C'est un mensuel rempli de photos de garçons plus beaux les uns que les autres. Mais les photos sont toujours accompagnées de messages insipides du genre : *Prince charmant, propre et fringant, cherche très jolie jeune fille, discrète et de bonne famille. Laiderons, s'abstenir.*

Quand elle reçoit le catalogue, Mathilda se précipite dans la chambre d'Éloïse qui mange des chips en regardant la télévision. Elle s'assoit au bord du lit, feuillette rapidement le catalogue et s'arrête sur la photo d'un garçon aux cheveux dorés.

– Comment le trouves-tu ?

– Dégueulasse !

– Voyons, ma chérie. Tu l'as à peine regardé.

– Les blondinets à bouclettes, c'est pas mon genre.

– Et celui-là, il n'est pas mal, non ?

– J'en ai rien à péter !

Exactement ce qu'il ne faut pas dire. Éloïse le sait et le fait exprès. Mathilda a envie de l'étriper. Mais elle se retient. Éloïse est sans doute trop jeune pour s'intéresser aux garçons. Rien ne sert de grimper dans les rideaux.

Mais comme elle sort de la chambre, la dernière phrase d'Éloïse résonne dans sa tête : « J'en ai rien à péter ! »

– Nom d'une citrouille ! s'exclame Mathilda. Qu'ai-je fait pour avoir une fille pareille ?

Mathilda a fait de son mieux. Elle a élevé sa fille à l'orée d'une forêt, dans une chaumière couleur abricot. Elle a bercé ses nuits de contes de fées et de comptines éducatives. Elle lui a transmis tout son savoir, toute sa science. Puis elle l'a envoyée à l'école. Pendant les vacances, c'est tante Hilda qui prend le relais. Éloïse n'arrête jamais.

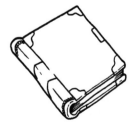

TANTE HILDA

Tous les matins, Éloïse se rend chez tante Hilda. Dès qu'elle franchit la porte, Hilda ouvre un de ses fameux grimoires et remplit son grand tableau noir de formules magiques. *Zim ba zim bu, perlimpinpin et topinambour...* Éloïse doit les réciter et les apprendre par cœur. *Pipistrelle et ouistiti, patchouli et pimprenelle...* Il y en a des centaines et des centaines... *Rutabaga et rubidium. Taratata tarabiscoté...*

— Ces formules sont absurdes! pense Éloïse. Et difficiles à mémoriser. Pires que des règles de grammaire.

Et comme si ce n'était pas assez, il lui faut apprendre à concocter des tas de potions puantes.

– Si la dent est noircie, doit-on utiliser du thym ou du laurier ? demande tante Hilda.

– ...

– Éloïse, est-ce que tu m'écoutes ?

Éloïse préfère regarder dehors. Des hommes en veston-cravate et des femmes en tailleur marchent d'un pas rapide vers des rendez-vous mystérieux. Ils trimbalent des ordinateurs portatifs, hèlent des taxis et, SURTOUT, ils reçoivent sans cesse des appels sur leur téléphone cellulaire. Que peuvent-ils bien raconter à leur cellulaire ? D'après leur front plissé, il s'agit d'affaires de la plus haute importance.

– Si la dent est cariée, poursuit l'intarissable tante Hilda, fais gratiner quelques poils de chauve-souris.

– Oui, tante Hilda, répond Éloïse en faisant semblant de prendre des notes.

LA CRISE

Un soir, en rentrant à la maison, Éloïse annonce à sa mère qu'elle n'ira plus chez tante Hilda. Ni demain, ni après-demain, ni jamais. Elle dit :

– J'en ai ras le chapeau de ses formules à la noix de coco !

Mathilda manque de s'étouffer.

– Mais ma chérie... Sois raisonnable. Que va dire la Grande Fée Manitou ?

– J'en ai rien à péter !

Mathilda explose :

– RIEN À PÉTER ?! Et qu'est-ce que tu vas devenir, maintenant ? La fée Carabosse, peut-être ?

– Je vais faire du business !

– PARDON ?

– Du business ! répète Éloïse d'un ton triomphant. Je veux brasser de grosses affaires et devenir riche !

C'en est trop. Mathilda ordonne à sa fille de monter dans sa chambre, et tout de suite. L'orage éclate. Mathilda se déchaîne. Lancés avec une force prodigieuse, verres et assiettes vont s'écraser contre le mur fleuri de la cuisine avant de tomber en miettes sur les tuiles roses du plancher. Est-ce le mot « business » qui a déclenché ce branle-bas de combat ? En tout cas, mieux vaut pour Éloïse rester terrée dans sa chambre et attendre…

Quand l'ouragan Mathilda s'est apaisé, Éloïse descend à la cuisine. Mathilda achève de ramasser les éclats de vaisselle. Dans la poubelle, les photos déchirées du *Catalogue des soupirants* ont transformé les sourires des garçons en grimaces.

– Maman...

Mathilda lève la tête.

– Oui, ma chérie ?

Le cœur d'Éloïse se serre. Mathilda a pleuré. Ça se voit. Ses yeux sont rougis.

– Tu as quelque chose à me dire ?

Non. Éloïse n'a rien à dire à sa mère, sinon qu'elle l'aime, qu'elle n'a pas voulu la mettre en colère et surtout pas lui faire de la peine. Mais comment le lui dire ?

– Si on allait faire un pique-nique ?

Mathilda sourit. Éloïse a visé juste.

– Un pique-nique ? répète Mathilda.

Elle est ravie. Pour faire plaisir à sa fille, elle prépare des tartines au miel garnies de pétales de roses. Pour faire plaisir à sa mère, Éloïse accroche une boucle dans ses cheveux.

LA PETITE CLAIRIÈRE

Éloïse et Mathilda marchent à la belle étoile sur le sentier de plus en plus étroit. Les arbres se resserrent. L'obscurité se fait plus dense. Et les grillons chantent à tue-tête. Un loup hurle au loin. Un hibou hulule. La forêt ne dort jamais.

Elles arrivent dans la petite clairière de la Grande Ourse. Cette trouée au cœur de la forêt est un endroit idéal pour observer le ciel tout en croquant à belles dents dans une tartine au miel et aux pétales de roses...

– Un pique-nique au clair de lune ! s'exclame Mathilda. J'adore !

La promenade leur a creusé l'appétit. Déjà, elles s'apprêtent à mordre dans leur deuxième tartine quand elles voient surgir de la forêt un garçon au sourire énigmatique. Son visage est pâle avec de légers cernes sous les yeux. Il porte une redingote noire qui lui va à ravir. Mathilda ne peut s'empêcher de s'écrier :

– Quel charmant garçon !

Puis, se tournant vers sa fille :

– N'est-ce pas, Éloïse ?

Éloïse baisse la tête et fait semblant de fixer sa tartine. Le garçon observe Éloïse à la dérobée mais n'ose pas s'approcher.

– Veux-tu une tartine ? lui demande Mathilda.

– Je n'ai pas très faim, répond le garçon sans quitter Éloïse du regard.

Gênée, elle garde les yeux rivés sur sa tartine.

– Je crois qu'il a le béguin pour toi, lui chuchote sa mère.

Éloïse prend une grande respiration.

– Tu en es sûre, maman ?

– En tout cas, il a l'air gentil.

Ce n'est pas une réponse mais, tant pis, elle ne va pas faire semblant d'étudier sa tartine jusqu'à demain matin. Alors elle se lève et va rejoindre le garçon.

– J'ai une cabane cachée dans un arbre, lui dit-elle. Veux-tu la voir ?

– Bien sûr.

Éloïse disparaît dans la forêt avec le garçon au sourire énigmatique. Mathilda les regarde s'éloigner sans mot dire. Après tout, songe-t-elle, Éloïse n'est peut-être pas trop jeune pour s'intéresser aux garçons...

LE SECRET

Chemin faisant, Éloïse et le garçon se confient l'un à l'autre. Il raconte qu'il vit seul dans un château et s'y ennuie à mourir. Elle raconte qu'elle s'est disputée avec sa mère:

– Ma mère ne veut pas que je fasse du business.

– C'est quoi, du business? demande le garçon.

– C'est quand on brasse de grosses affaires, explique Éloïse. Des affaires importantes. Puis on devient riche!

Le garçon se met à rêver tout haut.

– Moi, dit-il simplement, j'aimerais aller à l'école.

– Quoi ? s'étonne Éloïse. Tu ne vas pas à l'école ?

Il fait non de la tête.

– Pourquoi ? Qu'est-ce qui t'en empêche ?

– C'est... c'est mon secret.

Éloïse a beau questionner, insister, le garçon reste muet. Quand il ne parle pas, il retrouve aussitôt son air énigmatique. Éloïse l'observe du coin de l'œil. Elle essaie de comprendre ce qui lui donne ce visage mystérieux. Il a des yeux bleus, rêveurs, un brin mélancoliques. Il a une grande bouche aussi. Mais quand il parle, on dirait qu'il l'ouvre le moins possible. Et il sourit les lèvres closes.

– Je m'appelle Éloïse. Éloïse Dubois Doré. Et toi ?

– Je m'appelle Éric. Éric le...

Il s'interrompt brusquement.

– Éric le quoi ? demande Éloïse.

– Éric tout court.

Cette fois, Éloïse n'insiste pas. Qu'il garde ses secrets, elle saura bien les percer un jour. En attendant, rien ne les oblige à parler. Marcher, simplement marcher et se laisser bercer par les chants de la nuit, c'est agréable aussi. Car la nuit est belle. La nuit est chaude. Éloïse enlève le gros chandail à col qu'elle a enfilé par-dessus son tee-shirt. À la vue du cou blanc d'Éloïse, les yeux d'Éric se mettent à pétiller. Un large sourire se dessine sur son visage et laisse découvrir deux longues canines.

– Comme tu as de grandes dents! s'exclame Éloïse.

– C'est pour mieux te croquer !

Il ouvre la bouche et se jette sur Éloïse... qui le reçoit d'un coup de pied dans le tibia.

– Aïe !

– Je suis une fée des dents ! *Din da din do! Rrrack ! Rrrack !* Si tu me mords, toutes tes dents seront pourries.

Éric le vampire n'en croit pas un mot. Il a mal au tibia mais il salive encore. Il veut mordre, coûte que coûte et goûte que je te goûte. Mais le ciel a pâli. Éric blêmit. La panique s'empare de lui. Éloïse a compris. S'il ne retourne pas illico dans son château, le soleil va le réduire en cendres. Mais où est son château ? Éric ne le voit plus. Il s'est aventuré trop loin dans les bois.

– Ma cabane ! s'écrie Éloïse. Vite, à ma cabane !

LE GRAND CHÊNE

Éloïse et Éric courent dans la forêt. Ils arrivent au pied d'un grand chêne. La cabane se trouve là-haut, camouflée entre les branches. Éric grimpe à toute vitesse et s'y engouffre.

– Ça va, Éric ? crie Éloïse, restée en bas. Tu es bien caché ?

– Il fait noir comme dans la gueule du loup, là-dedans ! C'est parfait !

Sur ce, Éloïse quitte son ami et va s'allonger près d'un étang.

Le soleil se lève, Éloïse s'endort.

LA PENDULE

Chez Mathilda, les heures s'écoulent lentement, au rythme de la pendule. *Tic, tac, tic, tac...* Elle sonne midi... *Tic, tac, tic, tac...* Trois heures... *Tic, tac...* Six heures... *Tac!* Le souper est prêt. La salade est servie. Gaston le chat ronronne. Il ne manque qu'Éloïse. Mais il ne faut pas s'inquiéter, pense Mathilda. Éloïse connaît la forêt comme le fond de sa poche. Elle ne devrait pas tarder. C'est bientôt l'heure de son émission préférée.

Mathilda envoie tout de même Gaston faire une petite ronde de reconnaissance. Juste au cas...

UNE AUTRE NUIT

Le soleil se couche, Éloïse se réveille. Elle pense à Éric. Elle revoit ses yeux brillants, sa grande bouche... Elle le trouve mignon avec ses dents trop longues.

– Pourvu qu'il soit encore là, songe-t-elle.

Elle retourne au grand chêne et grimpe jusqu'à la cabane.

– C'est toi, Éloïse ? demande une faible voix.

– Tu peux sortir maintenant, dit-elle en poussant la porte. La nuit est tombée.

Assis au fond de la cabane, Éric semble las. Mais en voyant Éloïse, un éclair passe

dans ses yeux. Cette fois, il ne la ratera pas. Il se lève d'un bond et se jette sur elle. Éloïse fait un pas de côté. Éric tombe dans le vide.

– AAAAAAAAAAAAAAAAAAAAAAAAAAA AAaaaaaaaaaaaaaaaaaaaahhh....................

Une branche le rattrape au vol par le fond de culotte.

– Tu es complètement cinglée ! crie-t-il, suspendu entre ciel et terre.

– Tu as eu de la chance.

– J'ai surtout un bon fond de culotte.

– Je parie que tu as une bonne étoile !

– Bravo ! Et maintenant, comment je fais pour redesc...

CRAC ! La branche se casse et, en moins de deux, Éric s'écrase sur le plancher des vaches.

– Ouch !

– Ça va, Éric ? demande Éloïse en redescendant. Tu n'es pas mort ?

Il porte la main à sa bouche.

– Je saigne.

Puis il aperçoit un morceau blanc par terre.

– Ma dent !

Il essaie de la remettre en place. Rien à faire. Elle ne tient pas.

– Ma canine ne vaut plus rien.

– Au contraire, dit Éloïse. Une canine de vampire, ça doit valoir très cher.

– !?!?

– Tu pourrais la faire fructifier.

Éric n'en croit pas ses oreilles. D'abord, cette fille prétend être une fée. Ensuite, elle parle de faire fructifier sa dent. Elle n'a pourtant rien d'une fée ni d'une femme d'affaires, avec ses vieilles bottines et ses cheveux en bataille.

– Qu'est-ce que tu en dis, Éric ?

Éric lance sa dent le plus loin qu'il peut. Voilà ce qu'il en dit.

– Où vas-tu ? demande Éloïse.

– Chasser.

TOUS LES GOÛTS SONT DANS LA NATURE

Comme la veille, Éric et Éloïse marchent dans la forêt. Comme la veille, la lune et les étoiles brillent dans le ciel. Pourtant, la nuit n'est plus pareille. Éric a beau tendre l'oreille, nul bruit ne lui parvient. Loups, hiboux et grillons ont disparu. Il fouille des yeux les buissons mais ne voit ni renard ni lièvre égaré, pas le moindre mulot à croquer pour s'abreuver. Tous les animaux se sont passé le mot : Éric le vampire erre dans les bois, plus affamé que jamais.

– Regarde ! lui dit Éloïse en pointant du doigt un bosquet.

– Tu as vu un animal bouger derrière ?

Éloïse s'approche du bosquet. Il est rempli de framboises. Elle se met à les cueillir et à les manger goulûment.

– C'est comestible, ça ? demande Éric.

– Ça, ce sont des framboises.

– Connais pas.

Intrigué, Éric prend une framboise et l'observe avec méfiance. À ses yeux, on dirait un paquet de petites verrues agglutinées les unes contre les autres.

– Goûte ! C'est délicieux !

Éric ouvre la bouche et y dépose la framboise. Déjà, il n'a qu'une envie: la recracher. Mais Éloïse lui sourit si gentiment qu'il n'ose pas la décevoir. Il croque le fruit. Un jus légèrement sucré se répand dans sa bouche qui se tord en une indescriptible grimace. De toute sa vie, il n'a rien mangé d'aussi répugnant. Par un dernier et suprême effort, il réussit à l'avaler.

– Alors ? demande Éloïse.

– C'est infect !

Tous les goûts sont dans la nature, se dit-elle. Et il ne faut pas se décourager. Alors elle emmène son ami un peu plus loin, là où on trouve des marrons. Éric y goûte mais il a l'impression de croquer du poison. Éloïse ramasse quelques champignons mais rien qu'à l'odeur, Éric a mal au cœur. Éloïse lui cueille des boutons de fleurs endormies. Éric ferme les yeux, se bouche les narines et croque un bouton... qu'il recrache aussitôt :

– Pouah !

Éloïse lui présente de l'ail des bois. Il s'enfuit à toutes jambes.

– Attends-moi ! Où cours-tu comme ça ?

Il s'arrête, essoufflé.

– J'ai une sainte horreur de l'ail ! Rien que d'y penser, ça me donne des boutons !

Cette fois, Éloïse en a plein le capot :

– Tu as des goûts impossibles ! Tu n'es jamais content ! Tu n'aimes rien à rien ! Tu ...

– Chut !

Derrière le buisson, une forme a bougé. Qu'est-ce que c'est ? Qu'importe. C'est un animal et dans ses veines coule du sang. Miam ! Éric sent l'eau lui venir à la bouche. Ses narines frétillent. Ses yeux font des flammèches. Tout son corps se tend, prêt à bondir. Le voilà qui s'élance tel un tigre vers sa proie. Mais Éloïse lui fait une jambette. Éric tombe et se casse la margoulette.

– Ma dent ! J'ai cassé ma dent !

– Ça t'apprendra à vouloir croquer Gaston.

– Gaston ?

– C'est le chat de ma mère.

Éric est furieux. Il a perdu sa deuxième canine.

– À cause de toi et de ton Gaston, je suis fichu. Fini !

Alors il s'assoit sur une roche et enfouit sa tête dans ses mains. Il pousse de longs soupirs. Pauvre Éric. Sans canines, il n'est plus un vampire. Sans canines, il ne peut plus se nourrir. À petit feu, il va mourir.

– J'aurais aimé être comme toi, Éloïse.

– Comme moi ?

– Je souhaiterais pouvoir me nourrir de fruits, de noix et de champignons. Comme toi.

Le visage d'Éloïse s'illumine. Éric a dit « je souhaiterais »... Mais la nuit s'achève. Éric doit rentrer. Péniblement il se lève et, d'un pas résigné, se dirige vers la cabane. Un sourire rêveur flotte sur les lèvres d'Éloïse. Puis elle s'enfuit par le chemin opposé en tenant dans sa main la dent d'Éric.

LE DESTIN D'ÉLOÏSE

Assise au salon près du téléphone, Mathilda boit à petites gorgées sa tisane refroidie. Elle s'est réveillée à l'aurore, incapable de se rendormir. Elle meurt d'envie de téléphoner à la Grande Fée Manitou, de tout lui raconter. Mais elle n'ose pas.

Mathilda se rappelle...

C'était il y a douze ans, dans la petite clairière de la Grande Ourse. Toutes les fées s'étaient réunies pour célébrer le baptême d'Éloïse. Elles avaient allumé de grandes torches qu'elles avaient disposées en cercle. Au centre, couchée dans son berceau, Éloïse souriait aux étoiles. Et tandis que les fées

chantaient des prières, la Grande Fée Manitou méditait sur le sort de l'enfant.

– Que vais-je faire d'Éloïse ? se demandait-elle. Une fée du vent ou une fée des sables ? Une fée des marais ou une fée des champs ?

Elle manquait d'inspiration, cette nuit-là. Elle n'arrivait pas à se décider.

– Éloïse pourrait être une fée des étoiles, comme sa mère... ou une fée des falaises... ou une fée des grottes, ou...

– Un ovni ! cria la fée des abeilles.

La Grande Fée Manitou releva la tête et, à sa grande surprise, elle vit une boule de feu traverser le ciel et disparaître de l'autre côté de l'horizon.

– C'est une étoile filante ! s'écria la fée des étangs. Une gigantesque étoile filante !

– C'est un météore, corrigea tante Hilda.

– Étoile ou météore, c'est la même chose ! répliqua la fée des forêts. Mes sœurs, faites vos vœux !

Pour la Grande Fée Manitou, ce fut l'illumination.

– Enfin ! se dit-elle. J'ai trouvé !

Elle s'approcha alors du berceau, toucha Éloïse de sa baguette magique et prononça les paroles sacrées :

Zibeline, Zibelune
Par cette nuit sans lune
Madelie, Madelon
Sous le signe du lion
Choubidou, Youpidé
Éloïse Dubois Doré
Parmesi, Parmesan
Deviendra une fée des dents !

Les fées échangèrent des regards incrédules. Avaient-elles bien entendu ?

– Parfaitement ! continua la Grande Fée Manitou. Éloïse ramassera les dents sous les oreillers. N'est-ce pas merveilleux ?

Merveilleux ? Absurde, plutôt. Et ridicule. Ramasser des dents sous les oreillers, ce n'était pas magique pour deux sous et surtout pas digne d'une fée. Mathilda fut sur le point de fondre en larmes mais la Grande Fée ne lui en donna pas le temps :

– Ne faites pas cette tête ! Je vais vous expliquer : si quelqu'un perd une dent et fait un vœu, Éloïse pourra l'exaucer.

– Oh... firent les fées, impressionnées.

– Et qui lui apprendra à exaucer les vœux ? demanda tante Hilda.

– Toi ! répondit tout de go la Manitou. Tu es la fée des études et du savoir. Tu connais mieux que quiconque les secrets des grimoires.

– Bravo ! crièrent les fées. Bravo !

Et toutes se mirent à applaudir.

Mathilda se rappelle... Tante Hilda était devenue rouge comme une tomate. Et elle, elle avait pleuré de joie. Aujourd'hui, elle pleurerait de rage. Éloïse ne veut plus être une fée des dents. Éloïse veut faire du business maintenant. Elle n'est pas rentrée depuis deux nuits. Elle erre dans la forêt avec un garçon inconnu. Ciel! Si elle avait fait une fugue? Si elle était partie à l'autre bout du monde fonder une compagnie de bidules et machins chouettes? Si elle ne revenait jamais?

Mathilda attrape le téléphone. Elle doit parler à la Grande Fée Manitou, il le faut! Et tant pis si elle est en colère. Tant pis, tant pis, tant pis. La Manitou saura la conseiller. Avec un peu de chance, elle lui donnera une potion, une toute petite potion de rien du tout pour ramener Éloïse à la maison. Nom d'une citrouille! Pourvu qu'il ne soit pas trop tard...

Mathilda compose le numéro de la Grande Fée Manitou mais raccroche aussitôt.

Elle a entendu un bruit. Ça provient de la cuisine. Ça galope vers elle. C'est...

– Maman !

C'est Éloïse qui accourt, s'élance et lui saute dans les bras.

– Ma petite fille d'amour !

Et toutes les inquiétudes de Mathilda s'envolent. Éloïse est de retour. Le reste n'a aucune importance. Elle fera du business si ça lui chante.

– Alors ? demande Mathilda. Tu as un nouvel ami ?

– Coucou ! répond la pendule. Il est sept heures et quart.

– Sapristi ! s'écrie Éloïse. Je vais être en retard.

– Tu repars déjà, ma chérie ?

– C'est une question de vie ou de mort !

– Tu pourrais te coiffer un peu. Et te brosser les dents. Et...

Éloïse est déjà loin. Elle court jusqu'à la gare, saute dans le train, descend au terminus et se retrouve bientôt sur les larges trottoirs du centre-ville. Elle marche d'un pas pressé, bousculant au passage quelques hommes en veston-cravate et femmes en tailleur.

– Excusez... Pardon... Excusez...

Elle entre dans un immeuble, monte jusqu'au dernier étage et frappe au numéro 2301. La porte s'ouvre. C'est tante Hilda.

LA POTION

– Si tu viens chez moi pour apprendre le business, tu te trompes d'adresse, ma petite !

Éloïse ouvre sa main et lui montre son trésor.

– J'aimerais exaucer un vœu, lui dit-elle. Mais je ne sais pas comment. Je ne connais pas la recette. Je...

Tante Hilda ne l'écoute pas. Elle s'est emparée de la dent et l'examine avec curiosité. Sa nièce ne l'a sûrement pas trouvée sous un oreiller.

– Eh bien ! dit-elle soudain en fronçant les sourcils. Tu as de drôles de fréquentations !

Éloïse feint de ne pas comprendre. Tante Hilda la foudroie du regard.

– Ne fais pas l'innocente, ma petite ! Une dent de vampire, ça se reconnaît du premier coup d'œil !

Aujourd'hui, Éloïse n'aime pas tante Hilda. Elle a un gros nez, une coupe de cheveux démodée et des souliers VERTS ! Pas étonnant qu'elle soit célibataire. Tante Hilda lui en veut d'avoir abandonné ses cours de magie, c'est clair. Mais tante Hilda n'est pas rancunière. Et surtout, elle ne rate jamais l'occasion d'expérimenter une nouvelle potion…

– Si tu veux exaucer ton ami, réduis-moi cette dent en poudre. Et que ça saute !

Aujourd'hui, Éloïse adore sa tante Hilda. Elle va la réduire en poudre, cette dent, sans en perdre la moindre particule. Ensuite ? Il faut ajouter une cuillerée de goudron, deux gouttes de jus de larve et trois tasses de lait écrémé.

– Et n'oublie pas la purée d'insectes !

– Oui, tante Hilda !

Éloïse doit mesurer, écraser, mélanger, napper, distiller, flamber, saupoudrer... La recette est complexe. Elle exige beaucoup d'ingrédients et de manipulations. Aussi, Éloïse respecte à la lettre toutes les directives de tante Hilda. Enfin, presque...

– De l'ail ? Jamais de la vie ! Les vampires sont allergiques à l'ail.

– Dans ce cas, enlève tes bottines !

– Ah non !

– Nous remplacerons l'ail par du jus de semelle de botte.

– Ouache !

– Il faut ce qu'il faut !

– À vos ordres, tante Hilda !

Au crépuscule, la potion est enfin prête. C'est une mixture granuleuse et marbrée de bleu, plus malodorante qu'un fromage corse.

Plus une seconde à perdre. Il faut retrouver Éric et lui faire boire le précieux liquide.

– Avant minuit, précise tante Hilda.

– Et la formule ?

– Nom d'une pivoine ! Où avais-je la tête ?

Le temps de crier moineau, tante Hilda grimpe sur un petit escabeau et attrape un grimoire qui dormait sur le dessus de son armoire. Celui-là, Éloïse ne l'a encore jamais vu.

– C'est quoi, ce gros bouquin ?

– Ce n'est pas un bouquin, je te l'ai dit cent fois. C'est un grimoire.

Vampires et autres monstres, annonce la page couverture. *Formules pour cas extraordinaires.*

– Il contient les formules les plus secrètes, poursuit Hilda sur le ton de la confidence.

Et de ses doigts potelés, elle se met à parcourir les pages jaunies du livre.

LA FAIM

Pendant ce temps, dans la cabane du grand chêne, Éric s'est réveillé, tourmenté par la faim. Il ouvre la porte et se tient un moment sur le seuil, immobile. La tête lui tourne. Il se sent faible. Mais l'appel du sang est trop fort. Il entreprend de descendre de l'arbre.

EURÊKA !

– **E**URÊKA ! s'écrie tante Hilda en posant le grimoire devant Éloïse. Voilà ta formule.

– Tout ça ?

– Trois lignes. Ce n'est pas la mer à boire !

Éloïse lit et relit la formule pour que les mots s'impriment dans sa tête. L'écrire sur un bout de papier ? Jamais de la vie ! La formule ne fonctionnerait pas. Éloïse doit l'apprendre par cœur. Et il faut faire vite. Ça la rend nerveuse. Elle a du mal à se concentrer. Quelle heure est-il ? Nulle horloge sur les murs. Mais dehors, les enseignes clignotent au-dessus des passants. Les phares des voitures balaient l'asphalte. Pas de doute, il se fait tard.

Tante Hilda a ouvert la grande fenêtre du salon. Elle monte à califourchon sur sa vadrouille :

– Es-tu prête, Éloïse ?

Éloïse s'installe derrière elle et toutes deux s'envolent dans la nuit, filant en quatrième vitesse entre les gratte-ciel. Bientôt, elles survolent la forêt.

– Le grand chêne ! s'écrie Éloïse. Là ! Là ! Il faut descendre !

Mais les arbres sont si touffus et serrés les uns les autres qu'il leur est impossible d'atterrir. Hilda dépose sa nièce un peu plus loin, dans la petite clairière de la Grande Ourse.

– Grouille! lui lance-t-elle avant de repartir sur sa vadrouille. Et que la féerie soit avec toi !

GOULACHE ET BAUDRUCHE

Lorsqu'elle arrive au grand chêne, Éric est affalé au pied de l'arbre. Descendre l'a vidé de ses dernières énergies. Il n'a pas eu la force d'aller plus loin. Éloïse lui fait avaler la potion en se dépêchant de prononcer la formule : *Acadavri patatras...*

– Ton sirop goûte la vieille chaussette.

– Tais-toi. Tu vas me faire oublier la formule.

Éloïse recommence. Cette fois, Éric reste tranquille. *Acadavri patatras. Goulache et baudruche. Par ma rotule...*

Quand elle a terminé, il s'est assoupi. Son teint est livide. Sa respiration est faible.

– On dirait qu'il va mourir, pense Éloïse.

Elle le secoue. Impossible de le réveiller. A-t-elle bien récité la formule ? Elle la prononce une deuxième fois, mais lentement, très lentement, pour que la magie opère. Rien ne se produit.

– Il faut laisser le temps à la potion de faire son effet, se dit-elle.

Mais comme elle n'est sûre de rien, elle répète encore la formule. Elle la prononce dix fois, cent fois, mille fois peut-être. Elle la récite sur tous les tons, en chantant, en criant, en chuchotant. Elle la scande toute la nuit, jusqu'à épuisement, jusqu'à ce qu'elle tombe endormie.

L'ÉVEIL

Quand Éloïse se réveille, il fait jour. Éric n'a pas bougé. Il semble prisonnier du sommeil pour toujours. Heureusement, l'ombre du grand chêne le protège du soleil. Mais le vent agite les branches et quelques rayons se posent sur son nez, taquinent ses joues, dansent sur ses paupières. Ouf ! Éric n'est pas réduit en cendres. Au contraire. Il ouvre les yeux. Il voit Éloïse qui l'observe. Il lui sourit de toutes ses dents. Oui, oui, de toutes ses dents. Car ses deux canines ont repoussé. Alors il ouvre la bouche, très grand. Il se jette sur le cou d'Éloïse... et y dépose le plus doux des baisers. Éloïse devient rouge comme un coquelicot. Et son cœur se met à fondre...

– Des framboises !

– Quoi ?

– Des framboises ! répète Éric. Je mangerais des framboises. Des tas de framboises. Et des noix !

– Et des fraises ! ajoute Éloïse.

– Des fraises ?

– Viens ! Je connais des coins secrets que seules connaissent les fées.

ÉPILOGUE

La bouche toute barbouillée de fraises, Éric est heureux. Pour la première fois de sa vie, il ne craint pas la lumière. Ses canines restent un peu longues, c'est vrai. Mais déjà, le soleil a rosi sa peau. Ses cernes s'estompent. Et ses yeux... Ils pétillent encore à la vue du cou blanc d'Éloïse.

TABLE

L'AUTEURE

HÉLÈNE DE BLOIS est bachelière en études françaises et en théâtre. Comédienne au *Théâtre qui monstre énormément*, elle travaille également dans les écoles et les bibliothèques comme animatrice auprès des enfants. L'auteure a été finaliste pour le prix Cécile Gagnon 1999, avec *Un train pour Kénogami*.

L'ARTISTE

VÉRONIQUE DROUIN est une jeune artiste et illustratrice de Montréal. Designer industrielle, elle a conçu plusieurs jouets pour enfants. Elle est passionnée de bandes dessinées et adore laisser filer son imagination dans des mondes insolites et merveilleux qu'elle invente de toutes pièces.

AUTRE PUBLICATION AU LOUP DE GOUTTIÈRE

Un train pour Kénogami, 1999

Collection
Les Petits ⌇ Loups

▽ 6 ans et plus

▽ ▽ 7 ans et plus

▽ ▽ ▽ 9 ans et plus

Loup +

Achevé d'imprimer
en mars 2003 sur les presses
de AGMV Marquis inc.